FIRENZE
MVSEI

Musée
de San Marco

Magnolia Scudieri
Directrice du Musée

Conception graphique: Franco Bulletti
Couverture: Laura Belforte *et* Fabio Filippi
Piantine: Fabio Filippi

Responsable d'édition: Claudio Pescio
Rédaction: Augusta Tosone
Traduction: Bernadette Cormanne *et* Delphine Chevallier pour NTL

Crédits photographiques: Musée de San Marco, Archivio Giunti
et Rabatti & Domingie Photography, Florence

www. giunti.it

"FIRENZE MVSEI" marque déposée
créée par Sergio Bianco

Première édition: Juin 1999
Deuxième édition mise à jour: Novembre 2003

Édition Giunti Editore S.p.A., Florence-Milan

Réédition	Année
5 4 3 2 1	2007 2006 2005

Achevé d'imprimer sur les presses de Giunti Industrie Grafiche S.p.A. – Prato

Sommaire

Fra Angelico, *L'Annonciation*
(détail d'une des *Portes de l'Armoire "degli Argenti"*)

LES MUSÉES D'ÉTAT à Florence, qui dépendent de la Direction des Musées florentins, ont été traités dans un si grand nombre de publications qu'on pourrait remplir toute une bibliothèque de grandes dimensions. La chose ne doit pas surprendre, car le patrimoine artistique qui est conservé dans ces musées est renommé depuis des siècles dans le monde entier. Depuis des siècles, des hommes de lettres et des chercheurs, des voyageurs et des vulgarisateurs de toute langue et de tout pays tentent de raconter ce que renferment les musées florentins. Ils s'efforcent d'expliquer les raisons de leur fascination, ils essaient de guider pas à pas le visiteur au milieu des peintures et des sculptures, qu'il soit profane et plein de bonne volonté, ou un intellectuel raffiné et exigeant.

Cependant, il n'est pas rare que les musées changent de physionomie et qu'on remanie leur disposition; il arrive que les parcours soient modifiés, que les collections s'enrichissent (ou s'appauvrissent). Il se produit aussi, dans les musées, des changements d'attribution, des restaurations qui transforment l'image d'une ou de plusieurs œuvres, l'apparition ou le déclin de tendances esthétiques qui se reflètent sur l'exposition et sur la distribution. Toutes ces choses arrivent continuellement dans les collections publiques, parce que l'histoire de l'art et la muséologie, de même que tout savoir humain, font constamment des progrès et se transforment. Ceci explique pourquoi la littérature sur les musées florentins (de même que la littérature sur les grandes collections du monde entier) est aussi vaste et sans cesse mise à jour et modifiée.

Le guide parfait, définitif du musée, de n'importe quel musée, n'existe pas, ne peut pas exister.

Cet avant-propos pourra sembler évident; toutefois il est nécessaire pour comprendre le sens de la publication introduite par ces quelques lignes. A l'instant même où le groupe d'entreprises, guidées par l'éditeur Giunti, s'est adjugé la gestion des services complémentaires du système des musées florentins, conformément à la Loi Ronchey 4/93, nous avons voulu mettre en chantier une ligne homogène de guides illustrés. Les guides "griffés" Firenze Musei garantissent que leur contenu correspond exactement à la disposition du musée durant l'année d'édition.

Naturellement pour qu'un guide de musée puisse être considéré comme fiable, assumer le caractère d'officiel, et en même temps avoir une diffusion populaire, il doit satisfaire un certain nombre de conditions: contenir des informations précises, des reproductions de qualité, avoir un format maniable, un prix réduit et – dernier point, mais non des moindres – un texte écrit facile à lire (ce qui ne veut pas être synonyme de banalité ou de généralité). Le lecteur jugera si le volume, que ces quelques lignes introduisent, répond à ces caractéristiques. Je suis certain qu'il s'agira d'un jugement attentif et motivé, car attentif et motivé a été l'effort du Directeur et de l'Editeur, pour satisfaire le plus possible, en toute rigueur, les exigences culturelles de tous ceux qui s'approchent de nos musées.

Le Directeur
du Polo Museale fiorentino
(Antonio Paolucci)

Vue du premier couloir
(sur le mur, la fresque *Madone des Ombres* de Fra Angelico)

LE MUSÉE DE SAN MARCO

CEUX QUI DÉCIDENT de franchir le seuil du Musée de San Marco, sont d'abord impressionnés par la construction, le jeu des volumes et l'atmosphère de l'endroit qui, avant d'être une pinacothèque particulièrement riche en chefs-d'œuvre, est un monument et un lieu de mémoires, mémoires dominicaines liées aux hommes illustres de l'Ordre, de saint Antonin à Fra Angelico, de Fra Girolamo Savonarola à Fra Bartolomeo, pour ne citer que les plus célèbres parmi ceux qui vécurent dans le couvent; peuvent s'y ajouter les noms d'artistes tels que Fra Paolino, Marco et Francesco della Robbia. De plus, son aspect et son climat spirituel, inchangés à travers les siècles en dépit des vicissitudes et des stratifications historiques, expliquent l'importance du couvent et l'attrait qu'il ne cesse d'excercer.

Le Musée, situé dans la partie la plus ancienne, occupe environ la moitié d'un ensemble qui, au fil du temps, a fini par s'étendre à tout l'îlot et est, aujourd'hui encore, en partie habité par les frères. Le noyau le plus ancien de l'édifice, érigé sur l'emplacement du couvent médiéval des Sylvestrins, fut réalisé par Michelozzo, l'architecte préféré des Médicis, sur commande et entièrement aux frais de Cosme l'Ancien, pour loger les Dominicains réformés de Fiesole guidés, à l'époque, par Antonino Pierozzi. En l'espace d'une dizaine d'années (1436-1446), en plus de l'agrandissement de l'église par adjonction de l'abside polygonale, Michelozzo, en exploitant la structure en ruine de la fin du XIIIᵉ siècle, mena à bien un projet de couvent tout à fait fonctionnel, à l'avant-garde de ce type d'édifice et propre à célébrer le mécénat des Médicis. La découverte récente (1992) de peintures à l'étage des dortoirs révèle que les murs de la Salle de l'Hospice donnant sur place San Marco et ceux du Grand Réfectoire le long de via La Pira, appartiennent, eux aussi, à cette période ou, tout au plus, au début du XIVᵉ siècle.

L'architecte groupa habilement les édifices du rez-de-chaussée autour d'un cloître aux proportions harmonieuses et suréleva les bâtiments ainsi rattachés pour créer, au premier étage, les dortoirs aux multiples cellules, dignes d'un couvent en expansion. Le résultat est un ensemble aux proportions monumentales, organisé rationnellement en espaces bien articulés répondant aux exigences les plus modernes d'une grande communauté conventuelle dont les activités sont reprises, au-dessus des portes, dans les fresques allégoriques de Fra Giovanni de Fiesole, plus connu sous le nom de Fra Beato Angelico, l'un des peintres les plus importants de la Renaissance. Déjà célèbre et très apprécié, il se vit confier la tâche de décorer tout le couvent, des cloîtres aux cellules, de fresques sur le thème de la méditation individuelle et collective.

Le parcours du Musée commence au rez-de-chaussée, par le Cloître dit de Saint-Antonin, prieur du couvent, puis archevêque de Florence à partir de 1446 et canonisé en 1523. Dans les vingt-deux lunettes, les fresques racontant des *Épisodes de la vie de saint Antonin* sont l'œuvre de peintres d'*historia* les plus en vogue au XVIIᵉ siècle à Florence. Grâce aux lignes nettes des façades des dortoirs rythmées par la succession des petites fenêtres des cellules, le cloître nous offre un ensemble architectural simple aux proportions et aux couleurs harmonieuses. En face de la porte d'entrée, se découpe la superbe fresque de Fra Angelico représentant *Saint Dominique adorant le Christ sur la Croix*, synthèse du constant dialogue des Dominicains avec le Crucifix; à droite, à côté de l'entrée, on accède à la grande salle qui porte encore l'ancien nom d'Hospice conformément à sa fonction d'accueil que rappelle, au-dessus d'une porte, une lunette de Fra Angelico représentant le *Christ pèlerin accueilli par les Dominicains*. Depuis 1921, elle abrite toutes les peintures sur bois de Fra Angelico provenant d'églises et de couvents de Florence et des environs; œuvres devenues propriété d'État suite à la suppression d'institutions religieuses aux XVIIIᵉ et XIXᵉ siècles.

Du cloître, on accède aussi à une aile de l'édifice – celle qui comprend la Salle du Lavabo, le Grand Réfectoire, la cuisine et ses dépendances – destinée jadis aux repas des frères et aux services annexes. Aujourd'hui, elle renferme une collection d'œuvres de Fra Bartolomeo et des peintres de l'"École de San Marco" qui se créa autour de lui et se répandit au cours des premières décennies du XVIᵉ siècle. Outre ces pièces, on trouve le petit Cloître de "la Spesa" qui, destiné jadis à l'approvisionnement, séparait l'office de l'Hôtellerie avant d'arriver aux grands potagers à l'arrière.

Quand on revient dans le Cloître de Saint-Antonin, à droite s'ouvre la Salle du Chapitre; sur le mur du fond, se trouve une remarquable *Crucifixion* de Fra Angelico où sont présents tous les saints fondateurs des ordres monastiques et l'arbre généalogique de la famille dominicaine. Un vestibule relie le Cloître Saint-Antonin au Cloître de Saint-Dominique, plus grand et un peu plus tardif, au centre duquel se trouve la statue du saint. Achevé au XVIᵉ siècle, il fut décoré, début XVIIIᵉ, par Alessandro Gherardini et ses collaborateurs, de fresques racontant des *Épisodes de la vie de saint Dominique*. Dans l'angle nord-ouest se trouve l'entrée de l'Ancienne Pharmacie en activité il y a peu de temps encore. Au fil du temps, on y a apporté des modifications qui en ont bouleversé l'architecture; réservé aux frères, il n'est pas compris dans le parcours du Musée. Du vestibule, on accède aussi à l'escalier qui conduit aux dortoirs du premier étage, où se trouve le célèbre cycle de fresques peintes par Fra Angelico et ses collaborateurs dans les 43 cellules et dans les couloirs entre 1438 et 1443, année où le pape Eugène IV consacra la nouvelle église et le nouveau couvent. C'est un des plus vastes cycles de la Renaissance qui, alliant naturel et surnaturel dans un langage nouveau, transforme le patrimoine culturel du passé sans pour autant le renier. L'aspect austère mais serein des cellules évoque aujourd'hui encore une atmosphère propice à la méditation, une vie réglée par des obligations précises de prière et d'étude, loin des bruits du siècle. Au fond du Couloir des Novices, se trouvent la chapelle et les cellules de Savonarola où sont conservés des reliques et des objets personnels; elles évoquent les moments tragiques que vécut la ville pendant les années de prédication du frère de Ferrare et de son supplice. En revanche, au même étage, de l'autre côté, s'ouvre une pièce d'une grande virtuosité architectonique: la Bibliothèque Monumentale conçue par Michelozzo comme une basilique à trois nefs, jadis riche de précieux codes latins et grecs transférés au XIXe siècle, après les suppressions des couvents, dans les grandes bibliothèques publiques telles que la Bibliothèque Laurentienne et la Bibliothèque Nationale Centrale. Actuellement la Bibliothèque, voisine de la Salle Grecque au remarquable plafond de bois du XVe siècle, abrite des expositions d'Antiphonaires enluminés, provenant des églises florentines, qui font partie aujourd'hui de la collection du Musée qui en compte plus de huit cents.

De retour au rez-de-chaussée, on complète la visite par l'aile nord qui comprend le Petit Réfectoire (fresque de Domenico Ghirlandaio, datant de 1480 environ, représentant une *Cène* reproduite ensuite à Ognissanti), l'Hôtellerie (composée d'une longue galerie avec différentes petites salles attenantes qui, à partir du XVIIe, fut aussi utilisée comme infirmerie), la Cour du "Granaio" et le petit Cloître des Sylvestrins datant du XIVe siècle; l'un et l'autre ne se visitent qu'au printemps et en été. Toute cette partie abrite une section spéciale consacrée au "Vieux Florence"; elle renferme une collection de vestiges en pierre et en bois ainsi que des peintures provenant des palais et des églises du Vieux Centre de la ville démolis à partir de 1881, quand on réalisa le grand projet d'assainissement urbain. Une partie de la collection est hébergée dans le souterrain du couvent (visite sur rendez-vous) avec toutes les pierres funéraires qui, jusqu'en 1970, occupaient les murs du Cloître de Saint-Antonin. L'aménagement de cette section fut une des premières initiatives de l'histoire du Musée de San Marco, commencée en 1869 afin d'en valoriser l'aspect monumental dans son ensemble – et pas seulement le cycle de fresques du peintre jusqu'alors fermé au public – en relation avec d'autres personnages illustres liés au couvent tels que Girolamo Savonarola, saint Antonin, Fra Bartolomeo et Cosme de Médicis.

Le rêve initial du musée monographique sur Fra Angelico ne put se réaliser qu'en 1921, une fois la configuration du Musée de San Marco terminée et articulée en ses différentes parties. On y rassembla et on y exposa presque toutes les peintures sur bois de l'artiste, propriété des Galeries Florentines.

Ces vingt dernières années, on engagea un processus qui souhaitait mettre en valeur l'ensemble des aspects artistiques et culturels du Musée. On associa à la restauration des œuvres une nouvelle présentation et leur mise en relation au sein de noyaux d'exposition issus de nouvelles recherches historiques et techniques.

CLOÎTRE DE SAINT-ANTONIN

Un vestibule étroit orné de monuments et de dalles funéraires des XVIIIe et XIXe siècles, témoignage de l'ancienne coutume d'enterrer les morts à côté des é- glises, conduit au cloître construit par Michelozzo vers 1440. Adossé à l'égli- se et dominé, au centre, par un grand cèdre du siècle dernier, il offre au visi- teur la vision d'une architecture splendide et mesurée, exemple typique de la sobriété et de l'ordre de la Renaissance florentine. De chaque côté de la gale- rie, cinq colonnes aux élégants chapiteaux ioniques soutiennent des arcades à cintre surbaissé qui impriment au lieu un rythme proportionné de dimen- sion humaine et suggèrent un espace recueilli qui trouve écho dans les petites fenêtres qui, au premier étage, indiquent les cellules des frères. Il règne partout une simplicité et une syntonie que l'on retrouve aussi dans les couleurs des ma- tériaux dominants: le blanc de la chaux, le gris de la pierre, le rouge de la brique. La vision de Saint Dominique adorant le Christ sur la Croix, peint à l'entrée par Fra Angelico, dégage une grande émotion. Avec les cinq petites lu- nettes au-dessus des portes, cette image était, à l'origine, la seule à trancher sur la blancheur du cloître. L'aspect du cloître se modifia au cours du XVIIe siècle, lorsque les frères de San Marco décidèrent de célébrer le personnage de saint Antonin – figure de grande valeur morale, religieuse et civile mais aussi l'un des artisans de la renaissance du couvent, dont il fut prieur de 1439 à 1445 – en commandant aux plus célèbres peintres à fresque de l'époque un cycle de lunettes représentant des Scènes de la vie de saint Antonin, financé par quelques nobles familles florentines dont les fresques comportent les différentes armoi- ries. Les espaces vides autour des lunettes de Fra Angelico furent peints avec des personnages qui complètent la scène principale ou des allégories.

Cloître de Saint-Antonin

FRA ANGELICO
*Saint Dominique
adorant le Crucifix*

v. 1442
Fresque; 340×206

ET **CECCO BRAVO**

*L'Affliction de la Vierge
et de saint Jean*

1628
Fresques détachées
413×86 chacune

La très belle fresque de Fra Angelico symbolise à la fois le dialogue et la dévotion de saint Dominique et donc de l'Ordre envers le Crucifix. Au XVIIe siècle – quand la famille Fabroni acquit le patronage de cette travée du cloître et en fit son lieu de sépulture – elle fut encadrée de marbre et flanquée de fresques représentant des figures d'Affligés et de "putti" en adoration. Malgré la modification, l'image conserve intacte toute sa force émotive dans cette synthèse absolue entre réalisme expressif du saint, nimbé de lumière dans chaque pli du visage et de l'âme, et abstraction symbolique de la scène en dehors de toute réalité spatio-temporelle.

11

BERNARDINO POCCETTI
Saint Antonin nommé archevêque de Florence

1608-1609
Fresque; 230×412

Cette scène est représentative du cycle engagé par le grand "frescante d'*historia*" Poccetti entre 1602 et 1612, et complété en 1693 par Pier Dandini. Il est consacré à Antonino Pierozzi, d'abord premier prieur du couvent, puis évêque de Florence (1446-1459). La fresque a une valeur documentaire: en effet, y figure la façade de la cathédrale, telle qu'elle était avant sa démolition en 1587; en outre la présence anachronique mais très symbolique de Savonarola sur la droite, témoigne de la vitalité du culte de Fra Girolamo et de sa relation idéale avec saint Antonin.

ALESSANDRO TIARINI
La restauration de l'église et du couvent de San Marco

Entre 1602 et 1606
Fresque; 230×386

Le côté droit de la fresque, œuvre d'un peintre bolognais, représente quelques-uns des personnages fondamentaux de l'histoire du couvent: Cosme l'Ancien, vêtu et coiffé de rouge, et saint Antonin, vêtu de blanc; enfin, on reconnaîtra peut-être l'architecte Michelozzo dans l'un des deux jeunes hommes qui leur montrent le projet.

HOSPICE

C'est par le côté droit du cloître que l'on accède à cette vaste pièce qui occupe toute la partie de l'édifice donnant sur place San Marco et qui existait déjà, on le sait aujourd'hui, à l'époque médiévale, quand le couvent était habité par les Sylvestrins. Dans la partie supérieure des murs, juste en-dessous du plafond, on note des décorations peintes dont certaines remontent au début du XIVe siècle et peuvent être aperçues depuis l'étage supérieur. Au XVe siècle, Michelozzo la couvrit de voûtes croisées et la suréleva pour construire le second dortoir des frères. À l'intérieur, probablement isolé, se trouvait un Hospice pour les pèlerins comme le suggère la fresque peinte par Fra Angelico au-dessus de la deuxième porte et représentant le Christ pèlerin accueilli par les Dominicains. *Aujourd'hui, l'Hospice rassemble presque toutes les peintures sur bois de Fra Angelico déposées dans les Galeries Florentines après les suppressions d'églises et de couvents florentins au XIXe siècle.*

FRA ANGELICO
Triptyque de saint Pierre martyr

avant 1429

Peinture sur bois; 137×168
Inv. 1890, n. 8769

Le *Triptyque* représente une étape importante du parcours de jeunesse du peintre, influencé par Gentile da Fabriano et Masaccio. La forme du tableau, l'alternance de l'or et du bleu dans les fonds, mais aussi l'attitude des personnages qui semblent ébaucher un mouvement témoignent d'une phase de transition entre les schémas du gothique finissant et ceux de la Renaissance, qui n'aboutira qu'au cours de la décennie suivante dans une nouvelle composition de la *Sainte Conversation* à l'intérieur d'un tableau carré aux personnages en demi-cercle.

FRA ANGELICO
Descente de Croix
1431-1432
Peinture sur bois; 185×176;
Inv. 1890, n. 8509

ET **LORENZO MONACO**

"Noli me tangere",
Résurrection, Saintes
Femmes au Tombeau
(sur les pinacles);

L'abbé Pafnuzio rendant
visite à saint Onofrio, La
Nativité, Saint Nicolas
sauvant les navigateurs
(panneaux de la prédelle,
page de droite)

1422-1425
Peintures sur bois; 26×56,5;
26×61,5; 26×58,5
Inv. 1890, nn. 8615, 8617, 8616

Ce retable fut entrepris par Lorenzo Monaco sur une commande de Palla Strozzi, banquier cultivé de la famille rivale des Médicis, pour l'autel de la chapelle funéraire de son père Nofri, dans la sacristie de l'église Santa Trinita qui appartenait à la famille Strozzi. Toutefois, il demeura probablement inachevé à la mort du peintre, survenue vers 1425.

Les pinacles et la prédelle seraient donc la dernière œuvre connue de Lorenzo Monaco qui, dans les personnages flottants des pinacles, témoigne des lignes et des couleurs exacerbées du style du dernier gothique tardif. Dans la prédelle en revanche, il se livre à un hyper-naturalisme qui, par les jeux de lumière et de contrastes chromatiques, produit un effet totalement irréel.

Chargé d'achever le retable, Fra Angelico en réalisa la partie centrale et les piliers en 1432, sans tenir compte de la

14

subdivision gothique conçue par Lorenzo Monaco. Le tableau, peut-être le chef-d'œuvre sur bois de l'artiste, constitue dans l'activité du peintre un tournant décisif dans le sens de la modernité qui sera également déterminant pour l'art florentin. La composition spatiale libre, ouverte mais rigoureuse, le souci nouveau de réalisme appliqué à la nature, au paysage, à l'expression des caractères et des sentiments en font l'une des premières vraies peintures de la Renaissance. On croit reconnaître Michelozzo dans le personnage au chaperon noir; celui qui tient les clous et la couronne d'épines serait Palla Strozzi et le personnage agenouillé au premier plan, son fils Lorenzo.

15

Fra Angelico
Mariage de la Vierge
(en haut)
Funérailles de la Vierge
(en bas)

1430-1435
Panneaux de prédelle
sur bois
19×50, 19×51
Inv. 1890, nn. 1493,1501

Ces deux tableaux, avec le *Couronnement de la Vierge*, constituaient les panneaux de la prédelle d'une peinture sur bois, réalisée pour le chœur des moniales de Sant'Egidio, église attenante à l'Hôpital de Santa Maria Nuova, et qui se trouve actuellement à la Galerie des Offices. Le style de ce tableau, proche du grand *Couronnement* de San Domenico à Fiesole, actuellement au Louvre, permet de dater cette œuvre vers le debut des années Trente du XVᵉ siècle, époque à laquelle on s'accorde désormais à situer l'œuvre. Le style et l'iconographie de tradition médiévale les rattachent encore à la culture du gothique tardif auquel ils empruntent la préciosité des coloris et le formalisme particulièrement présents dans les ondulations des drapés. Toutefois ils montrent, en même temps, une parfaite connaissance des règles de la perspective et le souci constant de les appliquer. Ceci est évident dans les procédés utilisés pour créer la profondeur de champ au sein d'une étroite surface horizontale: dans l'un, il présente l'édifice vu en raccourci de façon à former un zig zag; dans l'autre, il utilise l'emplacement des cierges pour provoquer l'illusion. Les deux panneaux sont donc un exemple de synthèse entre ancienne et nouvelle culture dont Fra Angelico est le maître.

16

FRA ANGELICO
Jugement Dernier
(entier et détail)

v. 1425
Peinture sur bois
105×210
Inv. 1890, n. 8505

L'œuvre provient de l'église de Santa Maria degli Angeli, voisine de l'ancien couvent de Camaldoli; elle a été longtemps considérée comme le couronnement du dossier du siège des chantres et daté autour de 1431.

Récemment cette double hypothèse a été modifiée. La datation de l'œuvre est reportée aux alentours de 1425, peu après le retable de San Domenico de Fiesole et de la *Thébaide* des Offices. En outre, on a souligné le contenu savant de la composition, élaborée peut-être sur une suggestion du théologien humaniste Ambrogio Traversari, expert en patrologie, ce qui pourrait expliquer la présence, aux côtés du Christ, des personnages de l'Ancien Testament. Sa composition pyramidale particulièrement géniale et audacieuse réunifie le schéma médiéval de la représentation du *Jugement Dernier* par registres superposés.

L'idée des tombeaux, placés au centre pour mieux souligner les lignes de fuite, traduit en même temps une nette adhésion au nouveau langage de la Renaissance.

FRA ANGELICO
*Imposition du nom
à Jean-Baptiste*
v. 1430
Peinture sur bois
26×24
Inv. 1890, n. 1499

Le petit panneau fait partie d'une prédelle qui, récemment, a été presque entièrement reconstituée. Les autres panneaux se trouvent à Forth Worth, Philadel-

phie et San Francisco. Son exécution date certainement d'avant 1435, année où elle fut copiée par le peintre Andrea di Giusto dans un polyptyque actuellement à la Pinacothèque de Prato. On la situe à la fin des années Vingt quand l'artiste avait encore en mémoire le goût exquis du gothique tardif pour le chatoiement des personnages, tandis que sa

composition subissait manifestement l'influence du Massaccio des fresques très structurées de la Chapelle Brancacci. Du reste, à l'arrière-plan, l'architecture précise, aux proportions simple et mesurées, n'est pas sans rappeler les édifices chers à Michelozzo, ce qui repousse la datation vers le début des travaux à San Marco.

BEATO ANGELICO
Vierge de l'Étoile
(Vierge à l'Enfant, Père
Éternel, anges) (en haut, à gauche)

Couronnement
de la Vierge (en haut, à droite)

Annonciation
et *Adoration des Mages* (en bas)

1424-1434
Peintures sur bois
84×51, 69×37, 84×50
Inv. San Marco, nn. 274-276

Les tabernacles, peut-être conçus
comme reliquaires, font partie
d'une série à laquelle il faut en
ajouter un quatrième, aujour-
d'hui à Boston, représentant les
Obsèques et l'*Assomption de la
Vierge*, commandée pour Santa Maria Novella par le dominicain Fra Giovanni Masi, entre
1424 et 1434, l'année de sa mort.

19

FRA ANGELICO
ET COLLABORATEURS
*Portes de l'Armoire
"degli Argenti"*
[Objets du culte]

1448-1453
Peintures sur bois; 123×123,
123×44, 123×160, 123×160
Inv. 1890, nn. 8489-8491, 8510,
8492, 8500, 8501-8502

À l'origine, les huit panneaux illustrés de trente-cinq scènes de l'Ancien et du Nouveau Testament fermaient l'*Armoire "degli Argenti"* de l'église Santissima Annunziata à Florence. L'œuvre fut commandée en 1448 par Piero di Cosimo de Médicis à Fra Angelico qui certainement conçut le cycle entier dont il exécuta personnellement au moins les neuf premiers épisodes. Pour les autres, il s'entoura de collaborateurs comme Alesso Baldovinetti ainsi que d'autres ayant travaillé aux fresques de San Marco.

FRA ANGELICO
Roue mystique avec la vision d'Ezéchiel, Annonciation, Nativité, Circoncision, Adoration des Mages, Présentation au Temple, Fuite en Egypte, Massacre des Innocents, Jésus parmi les Docteurs
Peintures sur bois; 123×123. Inv. 1890, nn. 8489-8491

Plusieurs scènes aussi précises que des miniatures, reprennent des compositions déjà réalisées en grand format surtout dans les fresques des cellules.

La référence constante à l'architecture contemporaine, comme dans la *Présentation au Temple* qui montre l'intérieur de l'abside de l'église de San Marco, rénovée par Michelozzo en même temps que le couvent, est particulièrement intéressante.

ALESSO BALDOVINETTI
Noces de Cana (partie de panneau décoratif avec *Baptême de Jésus et Transfiguration*, non reproduits)
Peinture sur bois; 123×44. Inv. 1890, n. 8510

FRA ANGELICO
Résurrection de Lazare, Entrée à Jérusalem, Cène, Trahison de Judas, Lavement des pieds, Communion des Apôtres, Le Christ au Mont des Oliviers, Baiser de Judas, Arrestation du Christ, Le Christ devant Caïphe, Le Christ bafoué, Le Christ à la colonne
Peintures sur bois; 123×160. Inv. 1890, nn. 8492, 8500

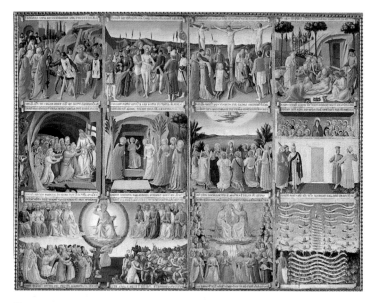

FRA ANGELICO
Montée au Calvaire, Dépouillement du Christ, Crucifixion, Mise au Tombeau,
Descente aux Limbes, Les Saintes Femmes au Tombeau, Ascension de la Vierge,
Pentecôte, Jugement Dernier, Couronnement de la Vierge et Lex Amoris
Peintures sur bois; 123×160, Inv. 1890, nn. 8501-8502

ZANOBI STROZZI
Vierge à l'Enfant
trônant et quatre anges

1434-1436
Peinture sur panneau; 127×110
Inv. 1890, n. 3204

Réalisée pour l'église de
Sant'Egidio, c'est la plus
ancienne œuvre que l'on
connaisse du peintre,
évoqué de Vasari com-
me l'un des plus proches
élèves de Fra Angelico.
Avec les Antiphonaires
enluminés, l'œuvre est
celle où l'on décèle le
plus fortement l'influen-
ce du maître.

FRA ANGELICO
*Lamentation
sur le Corps du Christ*

1436-1441

Peinture sur bois
105×164
Inv. 1890, n. 8487

Par son style, l'œuvre est très proche de la fresque de la Cellule 2 de San Marco; elle fut commandée en 1436 par Fra Sebastiano Benintendi, descendant de la bienheureuse Villana delle Botti (morte en 1360) représentée ici en habit monacal à côté de sainte Catherine, à droite. L'œuvre fut achevée en 1441, selon la date qui figure sur le manteau de la Vierge. Elle était destinée à la Compagnie de Santa Maria de l'Église de la Croce al Tempio, proche des murs de la ville et où les condamnés à mort passaient leurs dernières heures avant l'exécution. Ce genre de composition était déjà fréquente au XIVᵉ siècle mais ici son rythme horizontal est accentué afin d'atténuer la "dramaticité" de l'événement qui se propage du corps du Christ au bras de la Croix, puis aux murs de la ville.

FRA ANGELICO
Tabernacle des Liniers
(*Vierge à l'Enfant trônant*)

(entier et détails de la prédelle
page suivante)

1433-1436

Sur les portes, à l'extérieur:
Saint Marc et saint Pierre.
À l'intérieur: *Saint Jean-
Baptiste et saint Marc.*
Sur la prédelle: *Prédication
de saint Pierre en présence de
saint Marc, Adoration des
Mages, Martyre de saint Marc*

Peinture sur bois
292×176 (fermé),
39×56 (chaque panneau
de la prédelle)
Inv. 1890, n. 879

Le grand *Tabernacle*,
commandé par la Cor-
poration des Liniers en
1433 (avec des paiements
échelonnés jusqu'en
1436) fut placé dans une
Salle du Siège de cette
Corporation, situé au
centre de Florence et dé-
moli fin XIXᵉ siècle. L'importante commande pu-
blique atteste le succès
que la peinture du frère
connaissait juste après
1430. Le personnage de
la Vierge rappelle les
Maestà du siècle précé-
dent mais dans une ver-
sion volontairement mo-
dernisée offrant un par-
fait équilibre d'élégan-
ce gothique, de valeur
plastique et de clarté de
perspective.
Les personnages sur les
portes révèlent l'échan-
ge avec les sculpteurs de
l'époque, en particulier
avec Lorenzo Ghiberti,
à qui fut commandé l'en-
cadrement de marbre
exécuté par deux de ses
collaborateurs. Dans la
prédelle, les épisodes de
la vie de Jésus et des saints
sont décrits avec la vi-
vacité d'une représen-
tation sacrée à laquelle
les édifices urbains ser-
vent efficacement de dé-
cor architectonique.

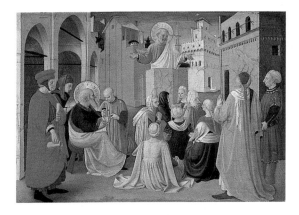

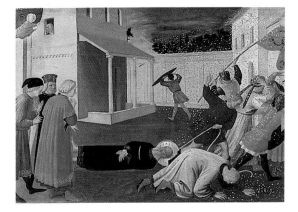

FRA ANGELICO
Retable de San Marco
(*Vierge à l'Enfant trônant parmi les anges, saint Côme, saint Laurent, saint Jean l'Évangéliste, saint Marc, saint Dominique, saint François, saint Pierre martyr, saint Damien*)
(entier et détails de la prédelle page suivante)

1438-1443

Peinture sur bois
220×227
Inv. 1890, n. 8506

Réalisé entre 1438 et 1443 pour le maître-autel de l'église rénovée par Michelozzo sur ordre de Cosme de Médicis, ce *Retable* devait compléter et célébrer avec éclat le mécénat des Médicis à San Marco. Les commanditaires, Cosme et Lorenzo, sont représentés à l'avant sous les traits des saints Côme et Damien, leurs protecteurs.

L'œuvre, qui avait déjà été abîmée, nous est parvenue plus endommagée encore suite à une dramatique tentative de restauration, probablement au XVIIIᵉ, qui a attaqué une grande partie des couleurs, spécialement celles des chairs. Il garde toutefois une théâtralité et une monumentalité d'un esprit nouveau qui en font le vrai prototype du retable de la Renaissance.

La composition en demi-cercle de la *Sainte Conversation*, à l'intérieur d'un format carré, qui avait déjà été utilisée dans le *Retable d'An-*

nalena, acquiert plus de profondeur à travers la perspective, étudiée avec rigueur et renforcée par d'ingénieuses inventions comme le faux tabernacle au premier plan et le dessin géométrique du tapis, inspiré à l'un de ceux offerts à l'occasion du Concile de 1439. Des neuf panneaux de la prédelle, aujourd'hui dispersés dans les Musées de Washington, Munich, Dublin et Paris, San Marco n'en a conservé que deux.

La *Sépulture de Cosme et Damien* constitue un document exceptionnel sur l'architecture de place San Marco au moment de la reconstruction du couvent. Il s'agit d'une phase intermédiaire puisque le dortoir de l'aile est y est déjà visible, tandis que le dortoir au-dessus de l'Hospice, côté San Marco, et celui de l'aile septentrionale, n'apparaissent pas encore. En effet, le bras droit de l'ancien transept de l'église, à l'arrière-plan, n'avait pas encore été démoli.

La *Guérison du diacre Justinien* offre, en outre, un bout d'intérieur où les détails mis en évidence par la lumière révèlent chez Fra Angelico des effets habituellement chers à l'art flamand.

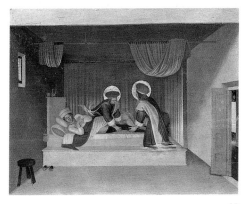

FRA ANGELICO
*Sépulture
de Cosme et Damien
avec leurs frères*

Panneau de la prédelle
37×45
Inv. 1890, n. 8494

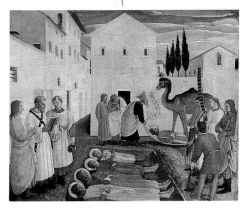

FRA ANGELICO
*Guérison
du diacre Justinien*

Panneau de la prédelle
37×45
Inv. 1890, n. 8495

27

FRA ANGELICO
Retable d'Annalena
(Vierge à l'Enfant
trônant parmi les saints:
saint Pierre martyr, saint
Côme, saint Damien, saint
Jean l'Évangéliste, saint
Laurent, saint François)

1434-1435

Peinture sur bois; 180×202
Inv. 1890, nn. 8493, 8486

L'œuvre provient du couvent, aujourd'hui disparu, de San Vincenzo d'Annalena. Selon une hypothèse récente, basée sur une série de recoupements, elle pourrait avoir été commandée, en 1434-1435, par Cosme de Médicis pour la chapelle de famille consacrée aux saints Côme et Damien, et placée à l'origine dans l'église San Lorenzo.

Les scènes de la prédelle racontent, en effet, le martyre de ces derniers: cette année-là Filippo Brunelleschi avait insisté pour que les autels de l'église soient ornés de tableaux carrés; en outre, le transfert du *Retable* au couvent d'Annalena, fondé en 1453 pourrait s'expliquer par les modifications survenues dans la chapelle de San Lorenzo en 1461. S'il en est ainsi, on serait donc en présence de la première *Sainte Conversation* de conception renaissante puisqu'elle propose un type de composition originale: une scène entière à l'intérieur d'un panneau carré aux personnages disposés en demi-cercle.

FRA ANGELICO
Retable de Bosco ai Frati
(Vierge à l'Enfant trônant
parmi les saints: saint
Antoine de Padoue, saint
Ludovic de Toulouse, saint
François, saint Côme, saint
Damien, saint Pierre martyr)
après 1450

Peinture sur bois
174×174
26×174 (prédelle)
Inv. 1890, nn. 8503-8507

Il fut réalisé pour le couvent franciscain de San Bonaventura al Bosco ai Frati, dans le Mugello, qui fut, lui aussi, rénové par Michelozzo aux frais de Cosme de Médicis, tout de suite après celui de San Marco. Pour des raisons de style, on considère qu'il est postérieur à 1450 et la présence, dans la prédelle, de saint Bernard, canonisé cette année-là, le confirme. Contrairement à celui d'Annalena, dont le modèle sert de référence, la *Sainte Conversation* a acquis une nouvelle conscience des exigences de la perspective et du caractère monumental des arrière-plans qui rappellent les monuments romains.

Salle du Lavabo

Du cloître, on accède également à la Salle du Lavabo qui doit son nom à sa fonction. Située en face du Grand Réfectoire, à côté de la cuisine, elle servait, suivant les règles conventuelles, au rite de purification précédant le repas.

Au-dessus de la porte d'entrée se trouve une fresque très endommagée de Fra Angelico qui représente le Christ en Pitié et fait allusion à la Résurrection qui attend ceux qui se nourrissent de Lui.

Actuellement la salle abrite des œuvres qui nous font découvrir Fra Bartolomeo, second frère peintre qui vécut à San Marco au début du XVIᵉ siècle; elle rassemble également les œuvres de Luca et Andrea della Robbia, dont le purisme formel reflète l'influence de Savonarola sur l'art.

Fra Bartolomeo et Mariotto Albertinelli
Jugement Dernier

1499-1501
Fresque détachée
360×375
Inv. 1890, n. 3211

La fresque fut commandée en 1499 par Gerozzo Dini, un "représentant" de l'Hôpital de Santa Maria Nuova, pour la chapelle funéraire de sa mère, Monna Venna, dans le Cloître des Osse-

ments. Elle resta inachevée en 1500, quand le peintre, marqué par l'histoire de Savonarola, décida d'entrer en religion et d'interrompre son activité pour un an comme l'exigeait la Rè-

gle. C'est Mariotto Albertinelli, son compagnon
d'atelier pendant des an-
nées, qui en termina la
partie inférieure en 1501.
Au cimetière, elle s'abî-
ma en moins d'un siècle
et davantage encore en
1657 quand, à la démo-
lition du premier cloître,
on la déplaça dans un se-
cond après l'avoir décou-
pée en neuf morceaux,
en supprimant les per-
sonnages des comman-
ditaires, puis enfin quand,
en 1871, on la détacha
avec tout le pan de mur.
La seule solution pour
arrêter la dégradation
des pigments par les sels
présents dans l'"intona-
co" (enduit) a été d'"arra-
cher" ce qui restait de la
couche de peinture. Ce
sauvetage a été réalisé,
il y a peu, si bien que, en
dépit de son délabre-
ment, la fresque commu-
nique encore, par sa com-
position, un extraordi-
naire effet de circulari-
té monumentale dont
s'inspira le jeune Raphaël
dans la *Querelle du Sacre-
ment* réalisée dans les
Salles du Vatican en 1509.
Il en existe une copie "à
fresque" quasi contem-
poraine dans l'église de
Sant'Apollonia et une
autre sur papier de la fin
du XIXe siècle de Raffael-
lo Bonaiuti actuellement
dans les Dépôts des Ga-
leries Florentines.

LUCA DELLA ROBBIA
*Vierge à l'Enfant
trônant*

1450-1460

Terre cuite émaillée
99×47,5×37

On ne connaît pas l'ori-
gine du groupe mais on
sait qu'il se trouvait, au
XVIIIe siècle, dans l'Oratoire de Saint-Thomas
d'Aquin où, fin XIXe siècle,
il tomba et se cassa en plusieurs morceaux. Après
sa restauration, suite à
l'inondation de 1966, il
jouit d'une nouvelle fa-
veur et a été confié en dépôt à San Marco. La qua-

lité expressive du mode-
lé confirme son attribu-
tion à Luca della Robbia,
l'inventeur de la techni-
que de la terre cuite émaillée. Elle est ici utilisée
dans une polychromie
plus ample que l'habituel
blanc-bleu; cet élément,
allié au "frétillement" jo-
yeux de l'Enfant, induit à
en réviser l'ancienne da-
tation pour la rapprocher
d'œuvres des années Cin-
quante comme le *Blason
de la Corporation des Mé-
decins et des Pharmaciens*
à Orsanmichele ou la *Vierge à l'Enfant* de Sant'Onofrio au Bargello.

GRAND RÉFECTOIRE

De la Salle du Lavabo, à travers des portails de pierre, typiques du style de la Renaissance, on jouit d'une très belle perspective sur les pièces voisines et surtout sur la grande pièce du Réfectoire aux voûtes croisées à nervures de style médiéval, qui coïncide en partie avec le bâtiment du XII siècle que Michelozzo allongea pour y construire le premier dortoir des frères.*

La dernière travée ne fut ajoutée qu'en 1529; on empiéta sur l'Hospice en démolissant le mur du fond où se trouvait, plusieurs sources l'attestent, une Crucifixion *de Fra Angelico, aujourd'hui perdue.*

Quelques années plus tard, en 1536, le nouveau mur du fond fut peint à fresque par Giovanni Antonio Sogliani, fidèle interprète de l'art simple et austère de l'École de San Marco, caractérisé par la dévotion et inspiré des concepts de Savonarola chers à Fra Bartolomeo et à Mariotto Albertinelli. Le Réfectoire accueille aujourd'hui une série de peintures de Sogliani, ainsi que de Fra Paolino, le plus fidèle disciple de Fra Bartolomeo et d'autres peintres appartenant à ce même courant artistique de la première moitié du XVI siècle.*

GIOVANNI ANTONIO SOGLIANI
Cène miraculeuse de saint Dominique

1536
Fresque
500×792

La fresque porte sur les piliers latéraux le paraphe du peintre et la date de 1536. L'iconographie qui associe le thème de la Crucifixion, courant au XIVe siècle dans les Cénacles, et celui de la Providence, fut évidemment choisie par les frères qui avaient refusé un premier projet, dont le dessin préparatoire est visible, sur la *Multiplication des pains et des poissons*.

Le but de cette représentation de saint Dominique assis à table sans nourriture avec ses frères et servi par les anges, est double : célébrer le fondateur de l'Ordre et inviter à la foi dans la Providence et la Résurrection, symbolisée par la *Crucifixion* qui domine la scène. Le bâtiment du fond, derrière la Croix, représente la façade postérieure du couvent de San Marco.

De composition classique, la fresque oscille entre le réalisme mesuré des visages des frères et la nouvelle légèreté des anges à la manière d'Andrea del Sarto.

PLAUTILLA NELLI
Lamentation sur le Christ mort

v. 1569

Peinture sur bois ; 288×192
Inv. 1890, n. 3490

Ce tableau provient du couvent de femmes dominicain de Sainte Catherine de Sienne, dit de "Cafaggio", où vécut de 1537 à 1588 (l'année de sa mort), la peintre qui était sœur dans ce couvent. On y ressent une forte influence de San Marco et de la figure de Savonarola. Riche en citation de la peinture pieuse du début du XVIe siècle – de Fra Bartolomeo à Andrea del Sarto, de Sogliani au Pérugin –, ce tableau illustre une sensibilité nouvelle, avec des influences nordiques, dans la couleur et le paysage.

Fra Paolino da Pistoia
Mariage mystique de sainte Catherine et saints

v. 1525

Peinture sur bois
283×218
Inv. 1890, n. 3471

L'œuvre se trouvait déjà dans le chœur du couvent de Sainte Catherine in Cafaggio, proche de San Marco et habité par des religieuses émules de Savonarola.
Il s'inspire de la peinture sur bois de Fra Bartolomeo qui se trouve actuellement au Louvre et que le peintre, lui aussi frère dominicain, avait dû voir durant sa réalisation à San Marco en 1509.

La composition est analogue à cette dernière, mais les personnages sont ici d'obédience dominicaine; d'autres parties du tableau rappellent certaines œuvres de Fra Bartolomeo. L'utilisation de couleurs vives et chatoyantes, correspondant à une phase précise de l'activité de Fra Paolino da Pistoia, permet d'avancer la date de 1525.

GIOVANNI ANTONIO SOGLIANI
Saint François et *Sainte Élisabeth*

1520-1525

Peinture sur bois; 218×197
Inv. 1890, nn. 4648, 4649

Les deux œuvres datent des années 1520 et proviennent de l'église de San Girolamo alla Costa à Florence et sont parmi les plus représentatives de l'art du peintre par leur qualité et leur typologie. L'œuvre est à la fois austère et réaliste, avec des éléments pittoresques d'une grande efficacité tels que la couronne aux pieds de sainte Élisabeth; elle révèle, au-delà du dessin savant et raffiné, une totale adhésion aux principes artistiques empreints de pathétisme et de simplicité qui étaient ceux de Savonarole et de l'"École de San Marco".

Salle de Fra Bartolomeo

Face à l'entrée du Réfectoire, un autre portail conduit dans une salle autrefois utilisée comme cuisine du couvent, dans la partie qui rassemblait toutes les pièces de service, non loin du Cloître de "la Spesa". Elle accueille aujourd'hui les œuvres de Fra Bartolomeo, le peintre disciple de Savonarola qui entra en religion en 1500 et tint un atelier de peinture à San Marco jusqu'en 1517, année de sa mort. Sur les bases du rationalisme classique du XVᵉ siècle, le peintre développa un art plus libre au niveau de la couleur, du dessin et de l'espace qui influença aussi le jeune Raphaël.

Fra Bartolomeo
Ecce Homo

1501-1502

Fresque
sur "embrice" [tuile]
51,5×37
Inv. 1890, n. 8520

C'est la plus ancienne des fresques sur tuile peintes pour le couvent des Caldine; elle fut déplacée à San Marco au XVIIIᵉ siècle. La pureté de l'image lumineuse du Christ corresponde à la représentation que Girolamo Savonarola esquisse dans le *Triomphe de la Croix* (1492).

Fra Bartolomeo
Sainte Marie-Madeleine

v. 1506

Fresque
sur "embrice" [tuile]
47×35
Inv. 1890, n. 8512

Réalisée pour les dévotions privées des frères, elle se trouvait peut-être au couvent de la Maddalena aux Caldine.
L'œuvre témoigne de l'amour de l'artiste pour les effets de transparence, favorisés par la technique de la fresque, caractéristiques de son art du début du siècle.

FRA BARTOLOMEO
Retable de la Seigneurie
(Vierge à l'Enfant, sainte
Anne et autres saints)

1510-1513
Peinture sur bois
444×305
Inv. 1890, n. 1574

L'œuvre est restée à l'état préparatoire, phase au cours de laquelle le dessin du carton est réporté et repassé au pinceau et les figures ombrées afin de suggérer les volumes, avant de passer la couleur. Il est connu comme *Retable de la Seigneurie* parce qu'il fut commissionné par Pier Soderini, gonfalonier de la République en 1510, pour la nouvelle Salle du Conseil du Palazzo Vecchio où se réunissait le Parlement depuis 1494.

Il s'agit d'une *Sainte Conversation* entre les saints protecteurs de Florence sur le thème de l'Immaculée Conception, reconnue comme symbole de libre discussion démocratique.

À la chute de la République en 1513, faute de pouvoir remplir sa fonction historico-politique, le *Retable* resta à l'état d'ébauche. Après une série de péregrinations, il ne réintégra San Marco qu'au XXe siècle.

FRA BARTOLOMEO
*Portrait
de Girolamo Savonarola*

v. 1498-1499

Peinture sur bois; 46,5×32,5
Inv. 1890, n. 8550

C'est le premier des deux portraits que Fra Bartolomeo, admirateur et disciple de Savonarola, exécuta immédiatement après son supplice en 1498. Le tableau appartenait, ainsi que d'autres objets personnels du frère, à l'une de ses émules, sœur Caterina de' Ricci, et ne fut acquis par le Musée que dans le courant du XXᵉ siècle. L'utilisation de la lumière pour accentuer le réalisme du visage dénote ici l'influence de la peinture flamande.

FRA BARTOLOMEO
*Portrait de Girolamo
Savonarola sous les traits
de saint Pierre martyr*

1508-1510

Peinture sur bois; 52×40
Inv. 1890, n. 8522

Ce portrait exposé dans la Chapelle de Girolamo Savonarola, au premier étage du Musée, fut exécuté quelques années après le précédent et était destiné au couvent de la Maddalena aux Caldine. L'expressivité du visage et le réalisme du portrait lui enlèvent tout caractère de célébration. Le frère prête ici ses traits à l'image de saint Pierre martyr, subterfuge qui permet de le glorifier, en l'assimilant à son illustre prédécesseur, et de diffuser son image à une époque où tout hommage à Savonarola était interdit.

Cloître de "la Spesa"

En quittant la Salle de Fra Bartolomeo on arrive, en parcourant un couloir sur la droite, au petit Cloître de "la Spesa". Ce petit cloître date de la reconstruction du couvent par Michelozzo en 1440, mais la petite loggia du premier étage fut érigée au XVIIe siècle; elle couvre une terrasse qui, à l'origine, servait sans doute à étendre le linge. Le cloître, adossé au mur qui longe via La Pira, évoque, par son style et ses dimensions, la galerie de la célèbre Annonciation *de Fra Angelico en haut de l'escalier menant au dortoir. Il permettait de relier l'aile de service à celle de l'Hôtellerie et le rez-de-chaussée au premier étage grâce à l'ancien escalier en colimaçon qui se trouvait dans un coin. Depuis le cloître, on accède aux souterrains qui abritent aujourd'hui le* Lapidarium *(pierres tombales enlevées du Cloître de Saint-Antonin) et une partie de la collection des pierres du Vieux Centre de Florence, à la Cour du "Granaio", au vestibule de l'Hôtellerie et du Petit Réfectoire. Pour gagner l'étage supérieur où se trouvaient les cellules décorées de fresques de Fra Angelico, on conseille de parcourir le couloir en sens inverse, vers la Salle du Lavabo et le Cloître de Saint-Antonin, en passant à côté de la Salle de l'Étendard, sur la droite.*

SALLE DE L'ÉTENDARD

La pièce, située en face de l'ancienne cuisine, était vraisemblablement une salle de service communiquant avec l'entresol et le souterrain qui servait alors de cave. Au cours de la dernière restauration, on y a dégagé un évier de pierre encastré dans le mur.

Elle rassemble aujourd'hui, autour d'un grand Étendard, de la moitié du XVe siècle, attribué à Baldovinetti, les œuvres d'artistes contemporains, florentins ou non, influencés par Fra Angelico.

FRANCESCO BOTTICINI
Saint Antonin adorant
le Christ sur la Croix
(à gauche)
v. 1460

Toile; 276×147
Inv. San Marco, n. 277

La toile apparaît couverte d'une fine couche de couleur à peine liée, presque sans préparation, d'après la technique utilisée pour réaliser les étendards. Objet de nombreuses restaurations, elle apparaît très abîmée mais reste lisible. La forme rectangulaire originelle est visible dans le haut; par la suite, on l'arrondit et la toile fut placée, à la fin du XVᵉ siècle, dans son actuel cadre mo-

numental. Exécutée en 1459, après la mort de Antonio Pierozzi, prieur du couvent et évêque de Florence, on y sent, dans le dessin nerveux des contours et la puissante anatomie, l'influence de Andrea del Castagno. Même si un document prétend qu'elle fut exécutée en 1483 par Pollaiolo, elle est aujourd'hui attribuée à Francesco Botticini et non plus à Alesso Baldovinetti.

BENOZZO GOZZOLI
Mariage mystique
de sainte Catherine
(détail en bas)
Christ au Tombeau
avec saint Jean et Marie-
Madeleine, saint Antoine
abbé et saint Egidio
v. 1460

Peinture sur bois; 21×221
Inv. 1890, n. 886

Partie d'un retable inconnu, la prédelle provient de l'église de Santa Croce, même si elle ne semble pas s'y être trouvée dès son origine. Proche, quant à son style, des fresques de la Chapelle des Mages du Palais Médicis peintes en 1459, il s'agit d'une

œuvre de maturité de l'artiste, où l'influence de Fra Angelico, dont Gozzoli avait été l'élève vingt ans plus tôt, n'apparaît plus désormais que comme une des composantes du style, plus descriptif et plus plastique que celui du maître.

Salle du Chapitre

De retour au cloître, on le parcourt sur le côté droit où s'ouvre la Salle du Chapitre; l'aspect extérieur, avec l'appareil de pierre nue et le portail flanqué de deux grandes fenêtres sont caractéristiques de la construction du XIIe *siècle. Au-dessus de la porte, on peut voir la sinopie de la fresque représentant* Saint Dominique tenant en main la Règle et la Discipline, *une peinture de Fra Angelico. Cette image fait allusion à la fonction de la Salle du Chapitre où, selon la règle, étaient discutées et jugées les actions des frères; la fresque, très abîmée, a été détachée et mise à l'abri à l'intérieur. Sur la paroi du fond domine la grande* Crucifixion *de Fra Angelico où le bleu du ciel s'est malheureusement estompé avec le temps. Dans cette pièce sont également exposés un grand* Crucifix *en bois (de 1496), provenant de l'église adjacente, et la* Cloche *du* XVe *siècle qui se trouvait autrefois dans le clocher. De retour dans le cloître, on continue sur la droite en s'engageant dans un long couloir qui mène aux escaliers pour l'étage supérieur.*

FRA ANGELICO
Crucifixion et saints

1442
Fresque
550×950

L'aspect quelque peu irréel de la fresque est dû à l'état de conservation du fond: bleu à l'origine, il a perdu son pigment et il laisse apparaître le gris et le rouge de la préparation. À côté des personnages historiques, parmi les participants, figurent les fondateurs des principaux Ordres religieux et des Pères de l'Église – Dominique, Ambroise, Augustin, Benoît, Romuald, Thomas, Jérôme, François, Jean Gualberto, Pierre martyr – ainsi que les saints liés aux Médicis, au couvent et à la ville – Côme et Damien, Laurent, Marc, Jean-Baptiste. L'œuvre apparaît donc davantage comme une réflexion collective sur la Crucifixion. La présence au pied de la Croix de la figure de saint Dominique, fondateur de l'Ordre, tenant en main les rameaux de l'arbre dominicain, souhaite souligner les liens des frères avec le Crucifix.

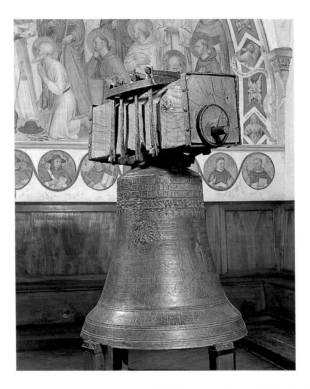

attr. à MICHELOZZO
Cloche,
dite "la Pleurnicheuse"

v. 1445

Bronze
Hauteur 120×110 diamètre
Inv. San Marco, n. 348

La cloche, qui porte sur ses flancs, le blason en relief des Médicis, généreux donateurs, est plus connue sous le nom de "la Pleurnicheuse" et était destinée au campanile de San Marco dans le cadre de la restructuration de l'église et du couvent probablement autour de 1445. Son surnom de "Pleurnicheuse" dérive du fait qu'elle avait été, au XVIᵉ siècle, le symbole de la faction anti-Médicis des florentins émules de Savonarola. En effet, elle avait sonné le tocsin pour rassembler le peuple autour du frère, le 8 avril 1498 (le jour où le couvent fut assailli dans le but d'arrêter Fra Girolamo). Exilée pour ignominie publique à San Salvatore al Monte après la mort de Fra Girolamo Savonarola, elle ne réintégra San Marco qu'en 1509. La frise avec la danse des putti dans la partie supérieure évoque celle de la Cantoria du Dôme, complétée par Donatello en 1439. On pense donc qu'elle aurait été exécutée, dans l'atelier de ce dernier, par Michelozzo fondeur reconnu mais au talent aléatoire, et par d'autres collaborateurs comme, par exemple, Bartolomeo di Fruosino.

Vestibule reliant les deux Cloîtres

Ce Vestibule relie le Cloître de Saint-Antonin au Grand Cloître, appelé de "Saint-Dominique" parce qu'il a été décoré au XVIIIe siècle de fresques représentant des Épisodes de la vie de saint Dominique. Au centre se trouve sa statue, exécutée en 1700 par Andrea Baratta et achevée au XVIe siècle. De nos jours, le cloître et les parois de l'édifice du couvent qui donnent sur lui appartiennent aux frères dominicains et sont donc interdits au public. Les murs du Vestibule exposent des peintures du XVIIe siècle d'auteurs comme Iacopo Vignali et Lorenzo Lippi, élèves de Matteo Rosselli, un peintre florentin du XVIIe siècle qui laissa un témoignage de son travail à San Marco avec la fresque La mort de saint Antonin, *dans le cloître, ainsi que par d'autres peintures dans l'église. En partant du Vestibule on arrive aux escaliers menant à l'étage supérieur où se trouvent les dortoirs abritant les cellules peintes à fresque par Fra Angelico, la Bibliothèque Monumentale, le Petit Réfectoire et l'Hôtellerie, qui mène à la sortie du Musée.*

Iacopo Vignali
Le bon Samaritain

v. 1630

Toile; 128,5×158,5
Inv. 1890, n. 6672

À l'origine, cette peinture se trouvait avec les trois autres tableaux exposé dans l'ancienne Pharmacie du Couvent, dont on remarque aujourd'hui encore la porte d'entrée, dans un angle du Cloître de Saint-Dominique. Cette Pharmacie fondée par saint Antonin à la moitié du XVe siècle a joui au cours des siècles d'une importante réputation pour sa production de médicaments, une activité dont les frères tiraient d'ailleurs leurs ressources pour entretenir la communauté et le bâtiment. Cette peinture que l'on peut dater vers 1630 a probablement été, comme les trois autres qui la précédaient de peu, un cadeau fait à la Pharmacie, en rapport avec la peste qui accabla la ville de Florence de 1620 à 1630.

Dortoirs du premier étage

À l'étage supérieur, réalisé par Michelozzo entre 1437 et 1444 en surélevant le bâtiment médiéval, se trouvent les dortoirs des frères; les quarante-trois cellules décorées par Fra Angelico entre 1438 et 1443 sont réparties sur trois couloirs autour du cloître.

À l'origine, on atteignait l'étage à un autre endroit par un escalier en colimaçon remplacé, sans doute au XVIIᵉ siècles, par l'escalier actuel qui mène directement devant la fresque de l'Annonciation; celle-ci, avec Saint Dominique adorant le Christ sur la  Croix et la Sainte Conversation, dite la Madone des Ombres, est donc une des trois œuvres que Fra Angelico peignit à l'extérieur des cellules; selon la Règle dominicaine, c'est devant elles que les frères récitaient la prière commune. Par contre, chaque cellule renferme une fresque relative à la Vie et Passion du Christ, objet de contemplation de l'occupant du lieu. Les cellules de Savonarola ne sont pas décorées car, à l'origine, elles devaient servir de "vestiaire".

Des parties de certaines cellules ont été démolies au XVIIᵉ siècle pour réaliser le vestibule devant la Bibliothèque.

Même s'il fut exécuté avec des collaborateurs, dont le jeune Benozzo Gozzoli, le cycle, unique au monde, doit être considéré comme œuvre intégrale du maître car c'est lui le créateur de l'ensemble du projet et l'auteur de la sinopie (le dessin sur le mur) de toutes les fresques.

FRA ANGELICO
Annonciation
(entier et détails
page suivante)

v. 1442
Fresque
230×297

C'est une des images les plus connues de la peinture de la Renaissance, de Fra Angelico et du couvent de San Marco dont elle est l'emblème.

On y trouve condensées les trois innovations de l'époque: la luminosité de Fra Angelico, la netteté de l'architecture florentine et le traitement rigoureux de l'espace et de la perspective. La scè-

ne se déroule sous une loggia dépouillée, simplement passée à la chaux, rythmée d'arcs en plein cintre avec des chapiteaux classiques, corynthiens ou ioniques qui évoquent de près les arcades dont Michelozzo venaient de terminer la construction au rez-de-chaussée du couvent, ce qui nous fournit un indice pour dater l'œuvre avant 1443.

Comme pour concentrer l'attention sur le caractère à la fois intime et spirituel de l'événement, la représentation ne s'encombre ni de détails or-nementaux ni d'épisodes annexes, comme *L'Expulsion de l'Eden*, récur-rents dans les peintures antérieures, y compris celles de Fra Angelico.

A gauche de l'Annonciation commence le Couloir des Pères, le premier construit par Michelozzo pour accueillir les frères de l'Ordre dominicain à peine installés dans l'édifice que les Sylvestrins avaient quitté. En 1437, les vingt premières cellules étaient déjà construites de chaque côté du couloir et, peu de temps après, elles furent décorées par Fra Angelico d'Épisodes de la vie du Christ. Sur le côté gauche se trouvent les fresques que l'artiste exécuta entièrement de sa main, alors que le côté droit présente des fresques conçues par lui, mais en grande partie réalisées par des collaborateurs.

Cellule 1
FRA ANGELICO
"Noli me tangere"

1438-1443

Fresque; 166×125

La fresque, qui se joue sur une gamme très restreinte de couleurs, donne un aperçu extraordinaire du nouvel art de Fra Angelico. Nouveau dans sa composition où le paysage est protagoniste de la scène au même titre que les personnages, dans l'utilisation de la lumière comme véhicule de représentation du réel et de l'irréel, ou par son sens rigoureux de l'espace malgré quelques incongruités dans les personnages; ainsi les pieds du Christ, apparaissant à Marie-Madeleine sous les traits d'un jardinier, sont représentés dans une position peu vraisemblable.

Cellule 2
Fra Angelico
Lamentation
sur le Corps du Christ

1438-1443

Fresque; 184×152

Dans la scène apparaît, pour la première fois, la figure de saint Dominique, témoin symbolique de l'événement sacré, qui sera présent dans toutes les autres fresques.

Le modèle iconographique est identique à celui que le peintre utilise, à la même époque, pour le tableau sur bois de l'église de Santa Maria della Croce al Tempio, actuellement exposé dans l'Hospice.

Dans la fresque, le rythme plus posé des figures, le dépouillement du décor et la délicatesse de la gamme chromatique produisent un effet de spiritualité nettement plus intense que dans le tableau.

Cellule 3
FRA ANGELICO
Annonciation

1438-1443
Fresque
176×148

Destinée à la contemplation privée, la scène a perdu jusqu'au moindre signe de référence au décor présent dans la grande représentation située en haut de l'escalier.
L'artiste s'est concentré sur l'expressivité de ce dialogue muet, si important et chargé de sens, auquel semble assister sur le côté, peut-être seulement en imagination, saint Pierre de Vérone, un des premiers martyrs dominicains.
L'architecture, d'une perspective rigoureuse, ne semble plus que prétexte à multiplier, dans le lointain, l'arc dessiné par les figures du premier plan.

Cellule 5
BEATO ANGELICO
La Natività

1438-1443

Fresque
177×148

La présentation tradi-
tionnelle de la scène de
la Nativité est ici enri-
chie de la présence, com-
me toujours anachro-
nique, de deux saints
adorant l'Enfant avec la
Vierge et saint Joseph.
Il s'agit de saint Pierre
de Vérone et d'une sain-
te portant une couron-
ne royale (sainte Ca-
therine d'Alexandrie?).

La lecture des "jour-
nées" qui constituent la
fresque, très claire, permet de distinguer l'in-
tervention évidente des
collaborateurs (dont
portent la marque les
anges situés en haut et
peut-être aussi saint
Pierre) de celle du maî-
tre dans les autres par-
ties.

Cellule 6
FRA ANGELICO
Transfiguration

1438-1443
Fresque
181×152

C'est la fresque où l'art de coloriste et les qualités de composition de Fra Angelico atteignent leur sommet.

Synthèse absolue d'abstrait et de concret, la scène présente une ordonnance spatiale tout à fait réaliste dans le cercle que les personnages appelés à assister à la scène – la Vierge, saint Pierre, saint Jacques, saint Jean, saint Dominique, Elie et Moïse – dessinent autour de la figure du Christ et, en même temps, elle offre une image tout à fait visionnaire centrée sur le Christ, image vivante de la Croix, baignée de lumière qui inonde et transfigure les assistants.

Couloir
FRA ANGELICO
Madone des Ombres
(entier et détail)

v. 1443

Fresque et détrempe murale
193×273; 130×273 (plinthe)

La fresque, dite de la *Madone des Ombres,* porte ce nom en raison des ombres projetées par les feuilles des chapiteaux sous l'effet de la lumière du jour provenant de la fenêtre. En réalité, il s'agit d'une *Sainte Conversation* qui rassemble tous les saints protecteurs du couvent, Dominique, Côme, Damien, Marc, Jean l'Évangéliste, Thomas, Laurent et Pierre martyr. L'œuvre est réalisée à la détrempe sur fond peint "a fresco" et rappelle, par sa texture et sa composition, les retables que l'artiste peignait à l'époque pour les autels. Sa datation reste incertaine: nous opterons, avec d'autres historiens, pour une exécution contemporaine des autres fresques (la dernière probablement), soit vers 1443, même si d'aucuns pensent que la maturité exprimée dans la composition ansi que l'aspect monumental et imposant du fond architectonique justifient une date plus tardive, celle du retour de Fra Angelico de Rome après 1450.

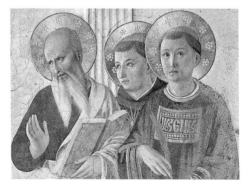

Cellule 7
FRA ANGELICO
*Christ bafoué, la Vierge
et saint Dominique*

1438-1443
Fresque
187×151

À l'intérieur d'un cadre à la perspective rigoureuse, la Vierge douloureuse et, au premier plan, un très beau portrait de saint Dominique jeune, plongé dans son recueillement, invitent à méditer sur l'image du Christ trônant derrière eux, les yeux bandés, tenant en main le sceptre et le globe, symboles des pouvoirs que les gardes lui offrent par raillerie.

Sur un fond vert irréel, le Christ est entouré d'autres symboles de la dérision, chers à l'iconographie médiévale: mains qui le giflent et le frappent, visages qui crachent sur lui.

55

Cellule 8
F<small>RA</small> A<small>NGELICO</small>
*Les Saintes Femmes
au Tombeau*

1438-1443
Fresque
181×151

La scène, concentrée dans l'espace exigu de la grotte est, en revanche, orchestrée comme un vaste jeu de correspondances mentales. La scène entière apparaît comme le fruit de la réflexion de saint Dominique, splendide détail pictural dans l'angle gauche, tandis que la vision du Christ ressuscité émane des pensées de la Vierge saisie dans la stupeur de la découverte.

La maîtrise des couleurs dans le dégrade des nuances et dans l'élégance des associations génère, cette fois encore, une parfaite harmonie.

Cellule 24
FRA ANGELICO
ET COLLABORATEURS
Baptême du Christ

1438-1443
Fresque
179×148

C'est une des rares fresques de ce côté du couloir présentant un sujet différent de la *Crucifixion*. Il s'agit d'une scène où le paysage domine sans conteste les personnages par un effet que la couleur nacrée rend surréel. Bien que l'idée de la composition se réfère immanquablement à l'imagination du maître, il est manifeste que les frêles figures, semblables parfois à des silhouettes en découpage, s'écartent de la corporéité naturelle et de l'expressivité propres de l'artiste : cette simplification des formes trahit l'intervention d'un ou plusieurs collaborateurs du maître.

Cellule 10
FRA ANGELICO
*Présentation
au Temple*

1438-1443

Fresque; 171×116

Une récente restauration a fait réapparaître sous un repeint rouge qui le cachait, le plafond de la niche en forme de conque, restituant ainsi à la fresque l'harmonie à laquelle on est habitué entre figures et décor sous l'action toujours fondamentale d'une lumière qui rend plus éclatantes les couleurs de l'habit du prêtre. Sur la gauche, saint Pierre martyr assiste à la scène, mais on ne sait pas s'il convient de lui associer le personnage féminin de droite, difficile à identifier, ou si elle en est, elle aussi, protagoniste. Cette cellule communique avec la cellule 11, décorée de la fresque *Vierge à l'Enfant trônant avec les saints Zanobi et Thomas*.

Cellule 22
FRA ANGELICO
ET BENOZZO GOZZOLI
*Christ en Croix
et Vierge de Douleur*

1438-1443
Fresque; 144×81

Le style de cette fresque où ressort un certain formalisme semble plus propre à Gozzoli, mais la définition plastique et spatiale de la Vierge renvoie directement à la main du maître, avec celle de son jeune élève. Sous le pavement de la cellule se trouvent des fragments de fresque de la seconde moitié du XIVe siècle qui nous renseignent sur la structure originaire des murs à l'époque des Sylvestrins, les premiers occupants du couvent. Il s'agit du *Vir dolorum entre saint Benoît et un autre saint* et d'une décoration géométrique sur fausse toile. C'est le dernière cellule sur le côté droit, qui marque le début d'une série de fresques d'un genre différent.

59

Couloir des Novices

Réservé aux novices, ce dortoir fut réalisé peu après le dortoir des pères et adossé à celui-ci, comme en témoigne la façade donnant sur le cloître. Il accueille sept cellules qui s'ouvrent sur la partie interne du cloître, plus les trois pièces situées à l'entrée du couloir, qui servaient de vestiaire avant d'être utilisées par Fra Girolamo Savonarola à la fin du XVᵉ siècle. De récentes découvertes de peintures sur les murs et sur les bords d'enceinte sous le pavement ont permis de dater la construction de cette aile du bâtiment entre la fin du XIIIᵉ et le début du XIVᵉ siècle, ainsi que d'établir que le toit initial se trouvait à la hauteur du pavement actuel. Les cellules avaient des dimensions supérieures à celles des pères pour permettre aux novices de s'habituer progressivement à la réduction de leur espace personnel. Toutes sont décorées d'une fresque représentant le même sujet, à savoir Saint Dominique adorant le Crucifix. De l'une à l'autre, seule change l'attitude du saint agenouillé et les variantes correspondent aux différentes manières de prier, indiquées par saint Dominique lui-même. Leur style illustre le caractère descriptif et l'accent mis sur la ligne qui induisent à en attribuer l'exécution à Benozzo Gozzoli, même si l'on peut y reconnaître l'inspiration, et peut-être la sinopie, de Fra Angelico.

Dans les deux dernières cellules avant de monter dans le "Quartier du Prieur", on trouve aujourd'hui exposés quelques objets traditionnellement rattachés à Savonarola comme son Étendard de procession, *sa* Cape *et son petit* Crucifix *de dévotion.*

Cellule 17
Fra Angelico
et Benozzo Gozzoli
Saint Dominique
adorant le Christ sur la Croix

1440-1443
Fresques; 103×172

Les fresques du Couloir des Novices représentent chacune saint Dominique dans des attitudes différentes qui vont de l'imploration à l'autoflagellation. Une telle iconographie à but didactique devait illustrer les préceptes du rite de la prière dictés par saint Dominique. Ces images rappellent une œuvre de Fra Angelico située dans le couloir à côté de l'escalier, mais elles révèlent un trait plus graphique et plus descriptif, plus conforme au style du jeune Gozzoli.

Cellule 16
attr. au MAÎTRE DE
L'ÉPIPHANIE DE FIESOLE
Étendard
de procession
avec le Crucifix
(face antérieure)
v. 1490
Peinture et détrempe sur lin
103×65
Inv. 1915, n. 494

Objet d'une grande rareté par sa typologie et son histoire, l'*Étendard* a été traditionnellement attribué à Fra Angelico et on rapportait qu'il avait appartenu à Savonarola qui l'aurait habituellement porté en procession.
Il présente, sur ses deux faces, une image du Christ sur la Croix. Une récente restauration a rendu plus lisibles les contours de cette frêle peinture et a permis de l'exclure, comme déjà au XIXe siècle, du *corpus* de Fra Angelico. Cette peinture qui reflète le regain du style de Fra Angelico au cours des dernières décennies du XVe siècle, serait l'œuvre d'un des artistes de l'entourage de Francesco Botticini, et très proches de Girolamo Savonarola, comme l'anonyme Maître de l'Épiphanie de Fiesole qui pourrait en être l'auteur.

PEINTRE INCONNU
FLORENTIN DU XVe SIÈCLE
Crucifix

v. 1490
Bois polychrome; 44×29
Inv. San Marco n. 484

La récente restauration a
confirmé, pour ce petit
Crucifix ayant peut-être
appartenu à Savonarola,
une datation correspon-
dant aux années que le
frère a passées à San Marco. La surface lisse et la
souplesse du modelé le
rapprochent du style épu-
ré inspiré de Fra Angeli-
co, proche de la forme d'expression développée par
Benedetto da Maiano à qui
l'on a pu attribuer ce *Crucifix*.

Cape de Savonarola

Dernier quart du XVe siècle
Laine noire; hauteur 107
Capuchon hauteur 51
Inv. San Marco n. 493

Offerte au couvent en 1686
par Giacinto Maria Marmi,
qui l'avait reçue du peintre
Vincenzo Dandini, cette
Cape est longtemps restée
au Musée pliée dans une
vitrine avec d'autres re-
liques, dont un fragment
de soutane et deux silices,
aujourd'hui exposés dans
la cellule du frère. L'ajout
du bord doré et l'élimina-
tion de ses lambeaux, dont
un a été envoyé en 1891 à
l'École Biblique de Jéru-
salem, attestent la vénéra-
tion dont elle a fait l'objet.

CELLULES DE SAVONAROLA

Au fond du Couloir des Novices, on trouve les trois pièces que Savonarola utilisait comme oratoire, cabinet de travail et comme cellule. L'oratoire fut transfomé et enrichi en 1701 quand les frères décidèrent d'y rassembler les œuvres de Fra Bartolomeo, fervent disciple de Savonarola, qu'ils possédaient encore et qui actuellement sont exposées au rez-de-chaussée dans la salle consacrée au peintre. À cette occasion, on commanda à Alessandro Gherardini la fresque ovale du plafond représentant la Gloire de sainte Catherine; *détachée au XIXe siècle, elle se trouve aujourd'hui au-dessus de la porte. Sur la paroi de droite, la fresque rectangulaire de la* Vierge à l'Enfant *provient, comme beaucoup d'autres, du couvent dominicain de la Maddalena aux Caldine d'où on la détacha avec un pan de mur. Au moment de l'aménagement du Musée au XIXe siècle, on chercha à valoriser les pièces en fonction de la figure de Savonarola et on y installa deux autres fresques détachées, le* Christ pèlerin *du Cloître de "la Spesa" de San Marco, sur la gauche, et une autre* Vierge à l'Enfant, ci-dessous, provenant elle aussi du couvent de la Maddalena aux Caldine, en face. À partir de 1873, la Chapelle accueillit aussi le* Monument à Girolamo Savonarola, *œuvre de Giovanni Dupré tandis qu'on rassembla, dans le cabinet de travail et dans ses cellules, les objets lui ayant appartenu.*

FRA BARTOLOMEO
Vierge à l'Enfant

1514

Fresque détachée; 120×78

Transférée en 1867 du couvent de la Maddalena aux Caldine, la fresque serait l'une des deux œuvres exécutées par le peintre en 1514. La tournure des personnages, la composition en spirale et la légèreté du dessin dénotent l'influence de Raphaël sur les œuvres duquel Fra Bartolomeo avait eu l'occasion de se documenter lors de son voyage à Rome de 1513-1514. La ressemblance de cette œuvre avec la *Madonna della Seggiola*, qu'on peut dater 1514, actuellement au Palais Pitti, est particulièrement frappante.

PEINTRE FLORENTIN DE LA FIN DU XVe SIÈCLE
Martyre de Savonarola place de la Seigneurie

v. 1498
Peinture sur panneau
101×117
Inv. San Marco, n. 477

Le panneau, dont il existe de nombreuses copies, illustre le supplice de Fra Girolamo et de ses frères place de la Seigneurie (le 23 mai 1498) et les événements qui l'ont immédiatement précédé : sa comparution devant le Tribunal sur la rampe du Palazzo Vecchio et son dépouillement.

En vérité, l'épisode décrit n'apparaît pas comme le véritable sujet du tableau, qui est dominé plutôt par la place et la ville environnante, impression que confirme l'absence de participation des badauds qui flânent en bavardant, indifférents à ce qui est en train de se passer.

La peinture fidèle des palais et des églises, la vue aérienne et la ressemblance avec la gravure de la *Pianta della Catena* réalisée par Francesco Rosselli, miniaturiste et graveur de planches géografiques, incitent à l'attribuer au même artiste.

65

CELLULES DU TROISIÈME COULOIR

Parmi les cellules du troisième couloir destiné aux frères convers et aux invités se trouvent, au fond, les deux cellules réservées à Cosme de Médicis et au pape Eugène IV qui y passa la nuit de l'Épiphanie en 1443 à l'occasion de la consécration de la nouvelle église.
Les fresques qui les décorent sont légèrement différentes; leur répertoire s'élargit et même les Crucifixions *présentent des schémas et des variantes multiples. Le langage s'y fait plus descriptif, les couleurs plus vives, les compositions plus complexes; l'intervention des collaborateurs parmi lesquels Benozzo Gozzoli se fait davantage sentir. Lorsqu'on perça la grande fenêtre du cloître au* XVIIe *siècle, en face de l'entrée de la Bibliothèque Monumentale construite par Michelozzo, deux cellules furent en partie abattues et deux fresques, la* Tentation du Christ dans le désert *et l'*Entrée à Jérusalem, *furent démolies.*

Cellule 31
FRA ANGELICO
ET COLLABORATEURS
Le Christ aux Limbes
(à gauche)
1440-1443

Fresque
183×166

La tradition veut que cette cellule ait été habitée par saint Antonin, prieur du couvent à par-tir de 1439, puis archevêque de Florence en 1446. Au XIXe siècle, lors de l'aménagement du Musée, on enrichit la cellule d'objets liés à l'histoire du saint, parmi lesquels l'arbre généalogique de sa famille, son masque mortuaire en plâtre et de précieux codes que l'on expose quelquefois dans la Bibliothèque Monumental du Musée.

La scène est riche de détails descriptifs qui en font une des fresques les plus vivantes; même si un collaborateur est probablement intervenu pour les personnages de second plan, la luminosité est tout à fait caractéristique de Fra Angelico.

Cellule 35
FRA ANGELICO
ET COLLABORATEURS
La Communion des Apôtres

1440-1443
Fresque
186×234

Bien qu'exécutée en grande partie par les collaborateurs du maître – comme on le remarque dans le schéma un peu répétitif des têtes de certains apôtres – la fresque présente un grand intérêt par son cadre architectonique semblable à celui du couvent de San Marco. Le fait de laisser entrevoir l'aile opposée du bâtiment à travers les petites fenêtres, comme si la scène se passait réellement à l'intérieur d'une cellule – d'où on a effectivement cette vue – est une idée géniale. À droite de la fresque, le raccourci du puits est un détail très réaliste.

Cellule 39

FRA ANGELICO
ET BENOZZO GOZZOLI
Adoration des Mages
et *Christ en Pitié*

(entier et détail)

1440-1443

Fresque
175×357
86×60 (tabernacle)

Les cellules 38 et 39 sont celles que Cosme de Médicis voulut se réserver pour ses retraites spirituelles au couvent. C'est là également que séjourna le pape Eugène IV lorsqu'il vint à San Marco, le jour de l'Épiphanie en 1443, pour consacrer la nouvelle église. La destination de la cellule 38 nous est révélée par la présence de saint Côme dans la *Crucifixion* ainsi que par le fond peint à l'azurite, pigment coûteux et absent des autres cellules probablement en vertu de la règle de pauvreté; l'œuvre est attribuée, pour son style, à Benozzo Gozzoli.

Dans la cellule 39 se trouve l'*Adoration des Mages*; la dernière restauration l'a libérée des éléments incongrus qui avaient été ajoutés: les buissons sur le sol, les nuages dans le ciel et le bleu repeint sur le manteau de la Vierge qui était resté à l'état préparatoire.

La fresque, d'une très grande qualité, est représentative, dans l'ordonnance de la composition, les couleurs et la forme, du style de Fra Angelico qui traduit ici, à travers formes et typologies, ses impressions du concile qui se tint à Florence en 1439. La présence du tabernacle suggère que cette cellule a aussi rempli une fonction d'oratoire.

Cellule 42
F RA A NGELICO
Christ en Croix
avec saint Marc,
saint Dominique,
Longin, Marthe
et Marie

1440-144

Fresque
196×199

Même si elle est peu connue, la lumière, le dessin et l'articulation des personnages dans l'espace font de cette fresque une des compositions les plus réussies du cycle.

Dans la représentation de la douleur des Saintes Femmes que rappellent les figures analogues de la grande *Crucifixion* de la Salle du Chapitre, l'artiste atteint un maximum d'intensité expressive et chromatique.

La déploiement des figures dans l'espace, le rythme posé, le "rendu" des corps dénotent une maturité artistique achevée, autant de qualités qui permettent d'avancer, comme pour les autres cellules du même côté, une datation proche de la fin des travaux.

BIBLIOTHÈQUE

Sans les pluteus qui la meublaient à l'origine et les armoires murales qui les avaient remplacés au XVIIe siècle, la Bibliothèque, dans son dépouillement, met en évidence la structure basilicale à trois nefs avec ses colonnes de pierre et ses chapiteaux ioniques. Mais ce véritable temple du savoir contraste, de façon significative, avec la simplicité des autres pièces. Récemment, on a remis en lumière le coloris original du XVe siècle, d'un vert imitant le marbre, présenté en "échantillon" dans une travée centrale où l'on a également découvert un fragment de Rose des vents; on a aussi fait ressortir des fresques en trompe-l'œil autour des portails, probablement peintes par Iacopo Chiavistelli à l'occasion des transformations effectuées au XVIIIe siècle. Cosme de Médicis, qui finança la réalisation des livres liturgiques pour l'église, enluminés par Zanobi Strozzi, proche collaborateur de Fra Angelico, se soucia de la doter des volumes requis et acheta l'importante collection de l'humaniste Niccolò Niccoli, riche en textes classiques, grecs et latins. La Bibliothèque, la première de la Renaissance ouverte au public, est une commande de Vespasiano da Bisticci sur ordre de Tommaso da Sarzana, le futur pape Nicolas V. À la suite des suppressions effectuées dans le couvent au XIXe siècle, la plupart des ouvrages ont rejoint la Bibliothèque Laurentienne; on a en revanche déposé ici des Antiphonaires enluminés (du Moyen Âge et de la Renaissance) provenant d'autres églises et couvents, qui font tour à tour l'objet d'expositions temporaires.

ZANOBI STROZZI
*L'École de saint
Thomas d'Aquin*
XVᵉ siècle, 1450-1455

Peinture sur bois
47 x 150
Inv. 1890, n. 8488

Tout comme l'autre lunette représentant *L'École de saint Albert le Grand*, ce tableau provient de l'École de Théologie pour les Novices, autrefois située à l'intérieur du Couvent. La tradition voulait que ces deux tableaux aient été conçus pour décorer un dessus de porte. Toutefois, leur forme en lunette encadrée de médaillons, courante dans la seconde moitié du XVᵉ siècle pour le couronnement de tabernacles de marbre, pourrait également couronner un siège important comme celui du Maître, tel qu'on l'aperçoit sur ce tableau de *L'École de saint Albert le Grand*.

**ZANOBI STROZZI
ET FILIPPO DI MATTEO
TORELLI**
Annonciation
Ms. 516, initiale R a c. 3r

1453-1454
Parchemin enluminé

C'est un des dix Antiphonaires enluminés pour l'église de San Marco commandés par Cosme de Médicis. À Zanobi on doit les initiales avec figures et à Filippo celles aux motifs végétaux, tandis que la calligraphie est l'œuvre de Fra Benedetto, frère de Fra Angelico. Ces enluminures sont attestées de l'artiste, élève de Fra Angelico.

PETIT RÉFECTOIRE

À la fin du parcours du premier étage, on redescend au rez-de-chaussée par le même escalier et on pénètre, à droite, dans une pièce de petites dimensions; elle servait de Réfectoire aux hôtes du couvent qui séjournaient dans l'Hôtellerie attenante, et peut-être aussi aux frères malades accueillis dans l'infirmerie qui s'y trouvait, à partir du XVIIe siècle.

Il fut décoré par Ghirlandaio quarante ans environ après la construction du couvent et accueille aujourd'hui des "reliefs" en terre cuite émaillée de l'atelier des Della Robbia de peu postérieurs à la Cène.

DOMENICO GHIRLANDAIO
Cène
(entier et détail page suivante)

1479-1480
Fresque
420×780

La fresque, identique à celle de Ognissanti, c'est une des quatre *Cènes* peintes par Domenico Ghirlandaio en l'espace de cinq ans. Elle semble précéder celle qui se trouve dans l'église d'Ognissanti où la même composition exprime plus de dynamisme dans le dialogue entre les apôtres.

La composition s'est adaptée, comme pour les autres fresques, aux exigences de la pièce. Grâce aux lois de la perspective, les tables et les bancs disposés en "U" et la loggia à l'arrière plan semblent élargir l'espace d'un local en soi plutôt réduit.

Sa restauration récente a fait ressortir la luminosité diffuse à l'intérieur et à l'extérieur de la scène, où le jardin sert de prétexte à des représentations symboliques selon le goût de l'époque.

ANDREA DELLA ROBBIA
Descente de Croix

1505-1510
Terre cuite émaillée
245×188
s. Inv.

Ce haut-relief représente la Vierge, saint Jean et Marie-Madeleine pleurant sur le corps du Christ juste après la descente de la Croix. Malheureusement, il apparaît très abîmé parce que longtemps exposé à l'extérieur : il était, en effet, placé dans une niche, aujourd'hui démolie, près de Calenzano. Cette première destination nous est révélée par l'inscription qui se trouve dans le bas et invite le passant à s'arrêter un instant pour se recueillir et prier. Ce genre de représentation à caractère dévot et d'une grande intensité expressive fut privilégiée par l'atelier de Andrea della Robbia sur la fin du XVᵉ siècle. Leur valeur didactique était en conformité avec l'esthétique de Savonarola dont les Della Robbia furent des fervents admirateurs et disciples.

ANCIENNE HÔTELLERIE

Au-delà du vestibule reliant le petit Cloître de "la Spesa" et le Cloître de Saint-Dominique aujourd'hui réservé aux frères, se trouve une grande galerie couverte d'une voûte en berceau qui, jadis, donnait directement sur les grands potagers du couvent aujourd'hui transformés en un petit jardin menant à la sortie du Musée.

Sur la galerie s'ouvre une série de petites pièces dont les portes furent décorées par Fra Bartolomeo; cinq lunettes représentent des saints dominicains – Saint Vincenzo Ferreri, Saint Pierre martyr, Le bienheureux Ambrogio Sansedoni, Saint Dominique et Saint Thomas – dont les traits semblent empruntés à des frères du couvent.

Ces pièces servaient autrefois d'Hôtellerie, lieu d'accueil pour les étrangers de passage ainsi que d'infirmerie au XVIIe siècle. Elles abritent, depuis la fin du XIXe siècle, une section spéciale du Musée consacrée aux pierres et peintures qui ont échappé à la démolition du Vieux Centre de Florence et certaines même à la destruction totale du Ghetto, quartier jugé irrécupérable d'un point de vue sanitaire. Aujourd'hui encore elles sont classées par type selon un critère didactique adopté par le conservateur de l'époque, Guido Carocci, leur sauveur.

FRA BARTOLOMEO
Saint Dominique

1511-1512
Fresque; 74×120

L'une des cinq effigies de saints et de bienheureux de l'Ordre, que Fra Bartolomeo peignit au-dessus de quelques portes des pièces de l'Hôtellerie; au XVIIIe siècle, un peintre inconnu en ajouta trois. Les figures se différencient de celles peintes par Fra Angelico par la puissance expressive des visages – peut-être des portraits de frères – ainsi que par la force des gestes et des regards. La technique montre une peinture fortement ombragée, au coup de pinceau rapide, contemporaine du *Retable de la Seigneurie*.

Pièce 4
PEINTRE INCONNU FLORENTIN
Fragment de pierre murale

Fin du XIVe-début du XVe siècle
Fresque détachée; 177×145
Inv. 1925, n. 242

Présente une décoration en carreaux mixtilignes, répandue à la fin du XIVe siècle, avec des scènes d'inspiration chevaleresque et des médaillons reproduisant des armoiries nobiliaires.

Avec six autres fragments récupérés au cours de démolitions, il provient des maisons des Teri ou des Pescioni.

ANDREA DI NOFRI
Portail

1414-1433
"Pietra serena"; 463×329×40
Inv. 1925, n. 47

Comme le grand *Taber-nacle* de Fra Angelico, ce beau *Portail* provient d'un des palais de la place Sant'Andrea, siège de la Corporation des Fri-piers, Liniers et Tailleurs; il fut exécuté entre 1414 et 1433, époque à laquelle fut également comman-dé le *Tabernacle*. Avec ce-lui de la Corporation des Hôteliers, conservé au même endroit, il donne une idée des dimensions grandioses et de l'aspect sévère des Palais abri-tant les Corporations. Sur le linteau, on recon-naît, dans l'ordre, les é-cus des Fripiers, du Ca-pitaine du Peuple, de l'É-glise florentine, de la Ré-publique de Florence, du Parti Guelfe et, de nou-veau, celui des Fripiers sur fond de lys des Anjou.

Petit Cloître des Sylvestrins

Par la deuxième salle de l'Hôtellerie, où se poursuit l'exposition des pierres du Vieux Centre, on pénètre – au printemps et en été – dans un petit cloître avec une galerie en voûtes croisées, vestige du premier édifice bâti par les Sylvestrins au XIVᵉ siècle: les colonnes et les piliers avec leur chapiteau orné de feuilles d'eau sont, en effet, caractéristiques de l'époque. Sous ses voûtes sont aujourd'hui exposées, par ordre chronologique, des armoiries et des dalles funéraires que l'on enleva, fin XIXᵉ siècle, de l'église de San Pancrazio, un des plus anciens édifices religieux de la ville, actuellement Musée Marini. Parmi les œuvres les plus intéressantes, on signale une pierre de 1276 aux armes des Prosperi et un élégant monument de la fin du XVᵉ siècle de l'abbé Trinci. La petite nécropole est intéressante non seulement du point de vue artistique mais aussi historique, car les armoiries de la noblesse mélangées aux emblèmes de gens communs, reconnaissables par leur activité artisanale, professionnelle ou commerciale, nous renseignent sur la composition sociale de ce quartier de la ville.

Dans la cour attenante, dite du "Granaio" parce qu'elle servait de dépôt pour le grain, se trouvent d'autres portails et colonnes provenant, eux aussi, de la destruction d'églises et d'édifices historiques dont le Portail du jardin des Pazzi, ainsi que d'importants reliefs comme ces deux têtes de lion du XVIᵉ siècle qui décoraient le tambour de la coupole du Dôme, conçu par Baccio d'Agnolo. De retour dans l'Hôtellerie, on trouve à droite la sortie donnant sur le jardin.

INDEX